D1097896

ЛЮБИМАЯ КНИЖКА

АГНИЯ БАРТО

Москва
УМка
2018

ЛЮБИМАЯ КНИЖКА

АГНИЯ БАРТО

СТИХИ ДЛЯ МАЛЫШЕЙ

Москва
УМка
2018

СКАЗКИ
РУССКИЕ СКАЗКИ
БАРТО
РУССКИЕ СКАЗКИ

ИГРУШКИ

БЫЧОК

Идёт бычок, качается,
Вздыхает на ходу:
— Ох, доска кончается,
Сейчас я упаду!

МЯЧИК

Наша Таня громко плачет:
Уронила в речку мячик.
— Тише, Танечка, не плачь:
Не утонет в речке мяч.

А
Б

ЛОШАДКА

Я люблю свою лошадку,
Причешу ей шёрстку гладко,
Гребешком приглажу хвостик
И верхом поеду в гости.

ЗАЙКА

Зайку бросила хозяйка —
Под дождём остался зайка.
Со скамейки слезть не мог,
Весь до ниточки промок.

МИШКА

Уронили мишку на пол,
Оторвали мишке лапу.
Всё равно его не брошу —
Потому что он хороший.

КОРАБЛИК

Матросская шапка,
Верёвка в руке,
Тяну я кораблик
По быстрой реке,
И скачут лягушки
За мной по пятам
И просят меня:
— Прокати, капитан!

ГРУЗОВИК

Нет, напрасно мы решили
Прокатить кота в машине:
Кот кататься не привык —
Опрокинул грузовик.

САМОЛЁТ

Самолёт построим сами,
Понесёмся над лесами.
Понесёмся над лесами,
А потом вернёмся к маме.

СЛОН

Спать пора! Уснул бычок,
Лёг в коробку на бочок.

Сонный мишка лёг в кровать,
Только слон не хочет спать.

Головой кивает слон,
Он слонихе шлёт поклон.

КОЗЛЁНОК

У меня живёт козлёнок,
Я сама его пасу.
Я козлёнка в сад зелёный
Рано утром отнесу.

Он заблудится в саду —
Я в траве его найду.

УТИ-УТИ

Рано, рано утречком
Вышла мама-уточка
Поучить утят.

Уж она их учит, учит!
Вы плывите, ути-ути,
Плавно, в ряд.

Хоть сыночек не велик,
Не велик,
Мама трусить не велит,
Не велит.

— Плыви, плыви,
Утёныш,
Не бойся,
Не утонешь.

ФОНАРИК

Мне не скучно без огня —
Есть фонарик у меня.
На него посмотришь днём —
Ничего не видно в нём,
А посмотришь вечерком —
Он с зелёным огоньком.
Это в баночке с травой
Светлячок сидит живой.